Fougère, la fée verte

Vous aimez les livres de la série

L'ARC-EN-CIEL
magique

Écrivez-nous pour nous faire partager
votre enthousiasme:

Pocket Jeunesse - 12, avenue d'Italie - 75013 Paris

L'ARC-EN-CIEL magique

Fougère, la fée verte

Daisy Meadows

Traduit de l'anglais par Charlie Meunier
Illustré par Georgie Ripper

POCKET
jeunesse

Titre original :

Rainbow Magic - Fern the Green Fairy

Publié pour la première fois en 2003
par Orchard Books, Londres.

Loi n° 49-956 du 16 juillet 1949 sur les publications
destinées à la jeunesse : janvier 2006.

Texte © 2003, Working Partners Limited.
Illustrations © 2003, Georgie Ripper.

© 2006, éditions Pocket Jeunesse, département d'Univers Poche,
pour la traduction française et la présente édition.

La série « L'Arc-en-Ciel magique » a été créée
par Working Partners Limited, Londres.

ISBN 2-266-14866-4

Pour les fées,
au fond de mon jardin.

Avec des remerciements
tout particuliers
à Narinder Dhami.

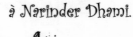

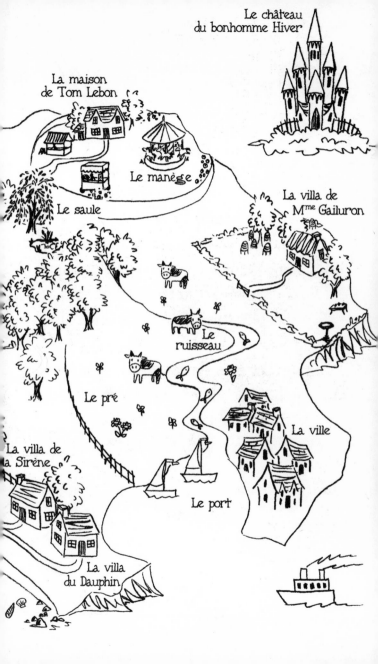

Le vent souffle en bourrasque,
Toute eau se change en glace.
Moi, bonhomme Hiver, j'ai jeté le masque
Pour disperser sur la terre des mortels
Ces satanées sept fées de l'Arc-en-Ciel!

Le pays des Fées s'enfonce sous la neige.
Moi, bonhomme Hiver, j'ai jeté un sortilège:
Dorénavant et pour l'éternité
Le pays des Fées plonge dans l'obscurité!

L'ARC-EN-CIEL magique

Garance, Clémentine et Ambre
sont à l'abri dans la marmite
du Bout de l'Arc-en-Ciel.
Rachel et Betty
doivent maintenant
délivrer
Fougère, la fée verte

Le jardin secret

– Oh! C'est l'endroit idéal pour un pique-nique! s'exclama Rachel Walker.

– On dirait un jardin secret, dit Betty Tate, les yeux brillants.

Il semblait que personne n'était entré dans cet immense parc depuis très, très longtemps.

Des rosiers chargés de fleurs rouges et blanches s'enroulaient autour des troncs d'arbres, embaumant l'air de leur parfum frais. On distinguait des statues de marbre blanc à demi cachées par du lierre grimpant. Et au beau milieu du jardin, s'élevait une tour de pierre à moitié écroulée.

– Il y avait autrefois ici un château appelé le château de Tournelune, expliqua M. Walker en lisant son

guide. Aujourd'hui il n'en reste plus que cette tour.

Rachel et Betty exa-minèrent la ruine : ses pierres jaunes, recou-vertes d'un tapis de mousse verte, luisaient dans le soleil. Tout en haut, on apercevait une petite fenêtre carrée.

– On dirait une tour de guet, remarqua Betty. Je me demande si on peut grimper là-haut…

– On revient tout à l'heure, maman. D'accord ? fit Rachel.

– Allez-y! dit Mme Walker. Pendant ce temps-là, on va préparer le pique-nique. Mais ne tardez pas trop, les filles!

Rachel et Betty se précipitèrent vers la tour. Betty tira sur la lourde poignée de fer qui ornait la porte de bois. Mais celle-ci était fermée à clé.

– Quel dommage! regretta Rachel, déçue. Impossible d'entrer!

– Oui, j'espérais bien trouver Fougère, la fée verte, à l'intérieur, ajouta Betty.

Rachel et Betty partageaient un secret. Elles étaient chargées d'une mission très importante : avant la fin de leurs vacances sur l'île de Magipluie, elles devaient avoir rassemblé les sept fées de l'Arc-en-Ciel. Le bonhomme Hiver, vexé de ne pas avoir été invité au grand bal de l'Été, leur avait jeté un sort et les avait chassées. Depuis, le pays des Fées s'enfonçait dans le froid et la grisaille. Il ne retrouverait sa douceur et ses couleurs que le jour où les sept fées, enfin délivrées du sortilège, pourraient revenir.

– Fougère, appela
Rachel à voix
basse, tu es là ?

Là... là... là...

La pierre renvoya
l'écho. Rachel et Betty
retinrent leur souffle.
Mais elles n'entendaient
rien, si ce n'est le bruissement des feuilles dans le vent léger.

– Ce lieu est très étrange, dit Betty.
Il y a forcément de la magie dans
l'air... Rachel, s'écria-t-elle soudain,
regarde le lierre !

Rachel obéit. Le mur était couvert
d'un épais tapis de feuilles vertes et
luisantes ; sauf à un endroit : les pierres

16

étaient à nu, formant un cercle parfait.

Le cœur de Rachel se mit à battre plus vite.

— C'est peut-être un anneau magique! s'exclama-t-elle.

Elle courut examiner ce curieux phénomène de plus près et trébucha soudain.

– Attention! fit Betty en la rattrapant par le bras.

Rachel s'assit sur une pierre moussue pour renouer son lacet défait.

– Il y a du vert partout, déclara-t-elle en contemplant l'herbe grasse et les arbres touffus. Fougère est sûrement par ici.

— Il faut qu'on la trouve, et vite, dit Betty, frissonnante. Avant les gnomes du bonhomme Hiver !

En effet, pour empêcher les fées de retourner dans leur pays, l'horrible bonhomme avait envoyé ses affreux gnomes sur l'île de Magipluie.

Rachel se releva.

— Par où on commence ? demanda-t-elle.

— Oh ! Tu as les fesses toutes vertes ! s'écria Betty.

Rachel se tortilla pour voir l'arrière de sa jupe en jean.

– Ce doit être la mousse, marmonna-t-elle, et elle se brossa avec énergie.

La poussière s'envola, scintillant dans le soleil du matin. Dans ce nuage tourbillonnaient de minuscules feuilles émeraude, et une odeur d'herbe fraîchement coupée monta du sol.

Rachel et Betty échangèrent un regard émerveillé.

– Des paillettes magiques ! s'exclamèrent-elles en chœur.

Où est Fougère ?

– Fougère est ici ! J'en suis sûre ! déclara Betty.

– Heureusement que je me suis assise sur cette pierre ! dit Rachel.

Elles firent le tour de la ruine, regardèrent sous les buissons, tout en appelant la petite fée par son nom. Hélas, celle-ci demeurait invisible.

– Et si les gnomes s'étaient emparés d'elle ? demanda Rachel, anxieuse.

– J'espère bien que non, répondit Betty. Elle a dû passer là, mais on dirait bien qu'elle est partie...

– Alors, où est-elle ?

Rachel contempla le jardin, découragée.

– Tu ne crois pas que quelque chose pourrait nous donner un indice, insista Betty, toujours optimiste.

Elle observait à présent les petites feuilles luisantes : certaines s'étaient envolées assez loin.

– Si on les suivait à la trace ? proposa-t-elle.

Les feuilles les menèrent jusqu'à un étroit sentier qui traversait un verger. Les arbres penchaient sous le poids des pommes, des poires et des prunes.

– Une piste magique ! souffla Betty.

– Vite, continuons ! lança Rachel.

Le chemin zigzaguait entre les arbres fruitiers. Il déboucha soudain sur une vaste clairière. Betty écarquilla les yeux.

– Un labyrinthe ! s'écria-t-elle.

Des haies de buis serré se dressaient face à elles, bruissant doucement dans le vent.

– Regarde, dit Rachel, la piste s'enfonce droit dedans !

– Il va falloir la suivre, déclara Betty.

Les deux amies franchirent l'entrée, très impressionnées. Elles longèrent une première haie, puis une deuxième, après avoir tourné à angle droit. Et si elles se perdaient dans ce labyrinthe ?

Rachel tenta de se rassurer.

– On finira bien par trouver un autre indice, c'est sûr.

– On va peut-être trouver Fougère elle-même ! renchérit Betty, pleine d'espoir.

Elles tournèrent encore une fois ; les haies s'écartèrent, révélant le cœur

du labyrinthe. Un noyer en marquait le centre exact.

– Fougère doit être là! J'en suis certaine affirma Rachel.

– Oui, répliqua Betty, mais où?

Tap! Tap! Tap!

Les deux filles sursautèrent.

– C'était quoi? fit Rachel.

Tap! Tap! Tap!

Voilà que ça recommençait…

– Ça vient de ce côté, dit Betty en montrant le noyer.

– J'espère que ce n'est pas un piège des gnomes, chuchota Rachel.

Tap! Tap! Tap!

Le bruit s'amplifiait. Lentement, elles firent le tour de l'arbre. À première vue, tout paraissait normal. Puis Rachel remarqua quelque chose sur le tronc.

– Pourquoi y a-t-il une lucarne? chuchota-t-elle.

À mi-hauteur, il y avait en effet une petite ouverture ronde, fermée par une vitre!

Betty tendit la main pour la toucher. C'était froid et humide.

– Ce n'est pas du verre! murmura-t-elle. C'est de la glace!

Elle perçut alors un mouvement derrière la paroi gelée, puis distingua une minuscule silhouette d'un vert éclatant.

– Rachel! Nous l'avons trouvée! s'exclama-t-elle. C'est Fougère, la fée verte!

Perdues dans le labyrinthe

Du fond de son étrange prison, Fougère adressait de grands signes aux filles. Toutes deux la voyaient ouvrir et fermer la bouche, mais aucun son ne leur parvenait. La glace était trop épaisse.

– Elle doit être frigorifiée, là-dedans, dit Rachel. Il faut l'aider à sortir.

– On pourrait briser la glace avec un bâton, proposa Betty. Sauf qu'on risque de blesser Fougère, ajouta-t-elle.

– Et si on faisait fondre la glace? suggéra Rachel.

– Mais comment?

– Comme ça… Regarde.

Le bras tendu, Rachel posa la main bien à plat sur la paroi gelée. Betty l'imita. Le froid leur brûlait les paumes, mais

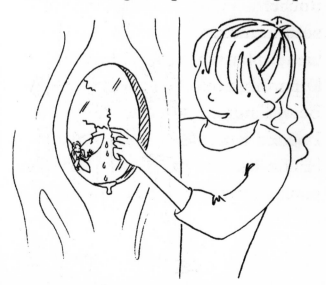

elles tinrent bon. Quelques gouttes d'eau commencèrent à ruisseler.

– Ça marche! s'exclama Rachel. On va pouvoir faire un trou, maintenant.

Elle se mit à taper sur la paroi et une fissure se forma.

– Ne t'inquiète pas, Fougère! cria Betty. On va te sortir de là!

Dans un craquement, la glace céda enfin. Un nuage de poussière magique

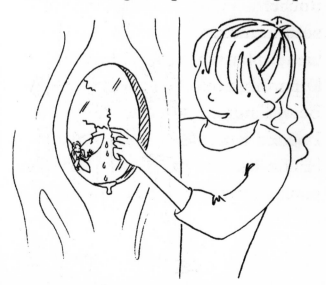

s'échappa,
répandant une
délicieuse odeur
d'herbe coupée.
Puis Fougère,
la fée verte, se
fraya un passage
au milieu des
éclats brillants.
Ses ailes pendaient
lamentablement. Une guirlande de
tilleul marquait sa taille. Ses bottes
minuscules avaient la couleur de
l'anis. Elle portait un collier de pousses
vert tendre, un pendentif et des
boucles d'oreilles pistache en forme
de feuille. Ses longs cheveux bruns
étaient attachés en deux couettes et sa

jolie baguette émeraude se terminait
par une petite crosse en or.

– J'ai t-t-t-tellement fr-froid! dit
Fougère en claquant des dents.

– Je vais te réchauffer, proposa
Rachel.

Elle prit la fée entre ses mains
jointes et souffla doucement sur elle.
La tiédeur de son haleine eut un effet
immédiat.

Fougère
cessa de
grelotter
et ses ailes se
défroissèrent.

– Merci, je me sens beaucoup mieux.

– Je m'appelle Rachel, et voilà Betty. Nous allons t'emmener jusqu'à la marmite du Bout de l'Arc-en-Ciel.

– Garance, Clémentine et Ambre t'y attendent, précisa Betty.

– Elles sont en vie! s'exclama Fougère. C'est merveilleux!

Elle quitta la main de Rachel et se mit à tourbillonner au milieu d'un nuage de paillettes vertes.

– Et mes autres sœurs? s'enquit-elle au bout d'un moment.

– Ne t'inquiète pas, on va les retrouver, elles aussi, assura Betty. Raconte-nous : comment t'es-tu fait prendre dans cette prison ?

– Quand j'ai atterri sur l'île de Magipluie, je me suis emmêlée dans le lierre de la tour, expliqua Fougère. J'ai réussi à m'en dégager, mais les gnomes du bonhomme Hiver étaient déjà à mes trousses. Alors, j'ai couru dans le labyrinthe et je me suis cachée au creux du noyer. Il pleuvait fort, et lorsque les gnomes sont passés près de mon arbre, l'eau de pluie s'est changée en glace. J'étais prise au piège.

Soudain, Rachel frissonna.

– On dirait qu'il fait plus froid, tout à coup, murmura-t-elle.

Là-haut dans le ciel, le soleil avait disparu derrière un nuage et un vent froid s'était levé.

– Les gnomes doivent approcher! s'affola Betty.

– On ferait bien de sortir de ce jardin, dit Fougère. Vous connaissez le chemin, non?

Rachel et Betty échangèrent un regard perplexe.

– Je ne suis pas très sûre de moi, dit Betty, les sourcils froncés. Et toi, Rachel?

Son amie secoua la tête, indécise.

– Moi non plus. Mais on n'a qu'à suivre la piste des feuilles magiques : elle nous mènera à l'entrée du labyrinthe…

– Et où est-elle, cette piste magique ? demanda Betty en regardant autour d'elle.

Un vent glacé soufflait, à présent. Les feuilles voletaient en tous sens et la piste s'effaçait sous leurs yeux.

– Oh, non ! s'écria Betty. Qu'est-ce qu'on va faire ?

Soudain, le sol trembla sous des pas lourds. Quelqu'un était entré dans le labyrinthe… et venait vers elles.

– Je suis sûr que cette maudite fée est quelque part par là ! ronchonna une voix bourrue.

Fougère, Betty et Rachel se regardèrent, épouvantées.

– Les gnomes! chuchota Rachel.

La fusée magique

Pétrifiées, Rachel, Betty et Fougère entendaient les gnomes approcher. Comme d'habitude, ils se chamaillaient.

— Dépêche-toi! grognait l'un. On ne va pas encore la laisser filer, celle-là!

— Arrête de râler! gémissait l'autre. J'avance aussi vite que je p… Ouille!

BOUM! On aurait juré que le gnome venait de s'affaler de tout son long.

– Si tes pieds étaient moins grands, tu ne te ferais pas tout le temps des croche-pattes! se moqua le premier.

– C'est pour mieux te botter les fesses, qu'ils sont grands! répliqua le second.

– Cachons-nous dans l'arbre, chuchota Fougère aux deux filles. Je vais vous réduire à la taille des fées, et on tiendra toutes les trois sous une feuille. Elle s'envola, agita sa baguette pour répandre une pluie de poussière

magique, et Rachel et Betty rétré-
cirent à vue d'œil. Quelle sensation
extraordinaire !

– Allons-y ! dit Fougère en les pre-
nant par la main.

Elles s'envolèrent et vinrent se poser
sur une branche du noisetier qui portait d'énormes noisettes dorées, toutes
rondes. La moindre brindille leur semblait un tronc d'arbre, tant elles étaient
petites. Fougère souleva le bord d'une
feuille, vaste comme une nappe, et elles
se faufilèrent toutes les trois dessous.

Quelques secondes plus tard, les gnomes déboulaient au cœur du labyrinthe.

– Où est-elle passée, cette fée? ronchonna l'un d'eux. Je suis sûr qu'elle est venue ici.

Ils se mirent à fureter au pied de l'arbre.

– Comment allons-nous retourner à la marmite? chuchota Rachel.

– Ne t'inquiète pas! la rassura Fougère à voix basse. (Elle montra

quelque chose derrière elle.) Je connais quelqu'un qui va nous aider !

Timide, une petite tête rousse et soyeuse apparut de l'autre côté du tronc. C'était un écureuil.

– Bonjour ! dit doucement la fée.

L'animal courut aussitôt se cacher. Puis, de nouveau, il pointa le museau, l'air curieux.

– Une noisette lui ferait peut-être plaisir ? suggéra Betty.

Elle voulut en cueillir une, mais ne parvint pas à l'arracher. Alors, toutes trois tirèrent jusqu'à ce que la

tige cède. Aussitôt, l'écureuil s'appro-
cha d'un bond, sa longue queue en
panache faisant balancier.

– Comment t'appelles-tu ? lui demanda Fougère.

– Nestor, répondit l'écureuil en
serrant son cadeau.

Il entreprit de décortiquer la noisette.

– Et moi, Fougère. Je te présente mes
amies, Rachel et Betty. Il faut que
nous trouvions le moyen d'échapper
aux gnomes. Tu veux
bien nous
aider ?

— Je n'aime pas les gnomes, déclara Nestor. Ils me font peur.

— Nous ne les laisserons pas te faire de mal, promit Fougère. (Elle lui caressa la tête.) Accepterais-tu de nous prendre sur ton dos? Toi, tu sautes facilement d'une haie à une autre. Nous devons absolument sortir de ce labyrinthe.

— D'accord, je vais vous aider, décida Nestor.

Elles le laissèrent croquer sa noisette, puis Rachel, Betty et Fougère enfourchèrent le petit animal. Elles s'agrippèrent à sa fourrure : c'était comme s'enfoncer dans une grande couverture moelleuse.

– On est drôlement bien, sur ton

dos! s'exclama Fougère. En route, Nestor!

L'écureuil se mit à courir sur la branche. Il prit son élan et bondit de l'arbre pour atterrir avec souplesse sur la haie la plus proche. Tout cela juste au-dessus de la tête des gnomes,

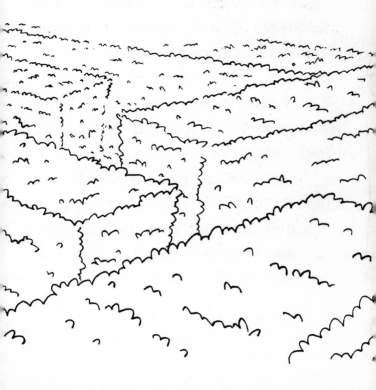

trop occupés à se disputer pour remarquer quoi que ce soit.

Fougère se pencha pour chuchoter à l'oreille de Nestor :

– Bien joué ! On continue !

Rachel eut le souffle coupé en voyant à quelle distance se trouvait la haie suivante.

– Nestor aurait peut-être besoin d'une aide magique, non ? suggéra-t-elle.

D'un vert acidulé, les yeux de Fougère pétillaient lorsqu'elle assura, confiante :

– Mais non. Il se débrouillera très bien !

Nestor s'élança et franchit le vide en douceur. Les deux filles échangèrent un sourire. Quel bonheur ! Même si le dos de cette monture était un peu bosselé, sa fourrure amortissait les chocs.

Ils avançaient à une telle allure que les gnomes furent vite distancés.

– Et voilà ! dit Fougère, quand Nestor les eut enfin menées hors du labyrinthe. Par où allons-nous, maintenant, les amies ?

Rachel et Betty se regardèrent, désemparées.

– Nous ne sommes pas arrivées par là, expliqua Rachel. Je ne sais pas du tout comment retourner à la marmite. Et toi, Betty ?

Betty secoua la tête. Elle l'ignorait.

– Mais il faut que j'aille là-bas ! s'exclama Fougère, inquiète.

– Rachel, lança Betty, j'ai une idée! Si on regardait dans nos bourses magiques?

– Bien sûr ! Je n'y pensais plus…

Titania, la reine du pays des Fées, avait remis aux filles deux bourses très spéciales, à n'ouvrir qu'en cas de nécessité. Les fillettes ne s'en séparaient jamais.

Betty ouvrit son sac. À l'intérieur, l'une des bourses répandait une lueur dorée.

– Je me demande bien ce qu'il y a dedans… murmura-t-elle.

Elle en sortit un tube vert recouvert d'étoiles mordorées.

– On dirait une fusée de feu d'artifice, constata Rachel, dépitée. Ça ne va pas nous servir à grand-chose…

– C'est une fusée magique! l'inter-
rompit Fougère. Si on la tire en direction du ciel, mes sœurs la verront de
la marmite. Ainsi, elles comprendront
que nous avons besoin d'aide!

– Mais... et les gnomes? fit Rachel.
Ils la verront aussi, et ils sauront où
nous trouver!

– On est obligées de prendre ce
risque, répondit Fougère d'un air
grave.

Betty posa la fusée en équilibre sur
une petite motte de terre, puis elle
recula de quelques pas, imitée par
Rachel. Fougère voleta au-dessus
de la fusée. Elle la toucha du bout de
sa baguette et, d'un coup d'ailes,
alla rejoindre les deux filles, près de

Nestor – qui n'en menait pas large.

Rachel et Betty retinrent leur souffle tandis que la fusée s'enflammait. Dans un sifflement, elle décolla, laissant derrière elle une traînée d'étincelles vertes. Elle monta haut, très haut dans le ciel avant d'exploser en une pluie d'étoiles émeraude qui se rassemblèrent pour former des mots.

AU SECOURS
NOUS SOMMES
PERDUES

Les lettres scintillèrent un moment dans le ciel avant de s'effacer peu à peu.

Qu'allait-il se passer? se demandaient les deux amies. Comment les fées pourraient-elles les sauver puisqu'elles ne devaient pas quitter la clairière où se trouvait la marmite,

sous peine de se faire prendre par les gnomes?

Elles entendirent soudain un bruissement de feuilles dans leur dos.

– Tu as vu cette fusée magique? cria une grosse voix. Ça venait de là-bas. Dépêche-toi avant que cette fichue fée nous échappe encore!

Des aides bienvenues

Rachel et Betty échangèrent un regard inquiet. Nestor, lui aussi, paraissait effrayé. Les gnomes étaient de nouveau à leurs trousses!

— Ils se dirigent par ici, chuchota Rachel.

— Ne vous inquiétez pas, les rassura Fougère. Mes sœurs vont très vite nous envoyer de l'aide.

Rachel aperçut alors une
nuée de paillettes d'or qui étin-
celaient à travers les feuillages.

– Qu'est-ce que c'est? murmura-
t-elle.

– Les gnomes nous lancent un sort?
paniqua Betty.

– Ce sont des lucioles! répondit
Fougère. Mes sœurs ont dû leur demander de nous montrer le chemin
jusqu'à la marmite.

Tout à coup, un cri rauque retentit à l'intérieur du labyrinthe.

– Regarde! C'est quoi, ces lumières?

– Oh, non! Les gnomes ont repéré les lucioles! souffla Rachel.

– Vite, Nestor! s'exclama Fougère. Suis les lucioles, s'il te plaît!

La fée et ses amies enfourchèrent de nouveau l'écureuil en hâte.

Des dizaines de petits éclats dorés dansaient entre les arbres. Nestor bondit à leur suite, au moment même où les gnomes sortaient du labyrinthe. L'un d'eux montra Fougère en hurlant :

– Voilà la fée ! Attrape cet écureuil !

– Reviens tout de suite ! rugit l'autre.

Nestor s'enfuit à toutes pattes. Rachel, Betty et Fougère s'accrochaient à sa fourrure, tandis qu'il zigzaguait pour échapper aux gnomes. L'écureuil se décida à escalader un tronc d'arbre quand une voix les héla d'en bas.

– Hou! Hou!
Surprises,
les fillettes
scrutèrent
le sol. Un
hérisson se

tenait au pied du chêne.

– Hou! Hou! répéta-t-il. Les animaux du jardin ont appris que vous aviez des ennuis. Nous sommes prêts à vous aider.

– Oh, merci! répondit Fougère.

C'est alors que les deux gnomes surgirent non loin d'eux.

– Où est passé cet écureuil? tempêta l'un.

Nestor bondit dans l'arbre le plus proche. Les gnomes poussèrent un cri de rage et se lancèrent à leur

poursuite. Alors, le hérisson se roula
en boule pour leur barrer le chemin.
On aurait dit un ballon hérissé de
piquants.

– Ouille! crièrent les gnomes. Mes
doigts de pied!

Rachel et Betty ne purent s'empêcher de rire : les affreux sautillaient
sur place avec d'épouvantables gri-
maces.

– Bravo, le hérisson! s'exclamèrent-
elles.

Pendant ce temps, Nestor avait repris sa course, guidé par les lucioles.

– Hé! Qui a éteint les lumières? protesta l'un des gnomes, qui se frottait toujours les orteils. Par où va-t-on, maintenant?

– Comment je pourrais le savoir, idiot? répliqua le second, furieux.

Rapide, Nestor sautait d'un arbre à l'autre. Les voix des gnomes faiblirent, puis s'éloignèrent tout à fait.

– Merci, les lucioles! lança Fougère. À présent, il faut rejoindre le mur du jardin. Nous ne devons plus être très loin de la marmite.

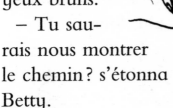

– Je peux vous aider, murmura une petite voix.

Au pied de l'arbre, un faon les observait de ses grands yeux bruns.

– Tu saurais nous montrer le chemin ? s'étonna Betty.

– Oui, répondit le faon en agitant sa queue. Je connais même un raccourci.

Il se mit à trotter entre les arbres sur ses longues pattes. Nestor le suivit, bondissant de branche en branche au-dessus de sa tête.

Rachel était émerveillée. À califourchon sur le dos d'un écureuil, elle se laissait guider jusqu'au Bout de l'Arc-en-Ciel par un faon !

Quelques instants plus tard, ils parvinrent à la limite du parc et Nestor sauta sur le mur de brique. Rachel et Betty examinèrent les alentours ; elles virent un pré et, plus loin, un bois.

– Regarde ! cria Rachel. La marmite est là-bas ! J'aperçois le saule !

Dernier vol

– Merci mille fois ! crièrent Betty et Rachel au jeune faon.

Celui-ci battit des cils, qu'il avait fort longs, puis s'éloigna en trottinant.

Un merle aux plumes luisantes était perché non loin de là. Il sautilla vers eux, la tête penchée.

– Je dois vous emmener jusqu'à la marmite du Bout de l'Arc-en-Ciel, pépia-t-il. En voiture!

Nestor fut bien malheureux quand Fougère, Rachel et Betty quittèrent son dos pour celui du merle. Elles s'y trouvaient un peu à l'étroit, et les plumes leur glissaient entre les doigts.

– Au revoir, Nestor! lança Rachel en lui envoyant des baisers.

Elle était triste, elle aussi, de devoir abandonner ce nouvel ami.

Le merle s'élança dans les airs.

– Il faut chercher le grand saule pleureur, conseilla Rachel, tandis que l'oiseau survolait le pré.

– Je meurs d'impatience de revoir mes sœurs, déclara Fougère.

Bientôt, le merle atterrit dans la clairière, près du saule. Rachel, Betty et Fougère sautèrent dans l'herbe.

– Qui va là? coassa une voix sévère.

Un gros crapaud vert
surgit de sous les
branches
tombantes.

– Bertram, c'est
moi! dit Fougère.

D'un geste vif, la fée
agita sa baguette: Rachel et Betty
reprirent aussitôt leur taille normale.

– Mademoiselle Fougère! s'écria
Bertram, ravi. Vous êtes revenue!

– Nous avons suivi les lucioles, dit
Fougère en embrassant le crapaud.
Merci de nous les avoir envoyées.

– Nous avons vu votre fusée dans le
ciel, expliqua Bertram et avons com-
pris que vous aviez des ennuis. Mais
ici, vous serez en sécurité. La marmite
est bien cachée sous l'arbre.

Oui, elle était bien là, nichée dans l'herbe.

Soudain, une fontaine de paillettes rouges, orange et jaunes en jaillit. Garance, Clémentine et Ambre apparurent en voletant, folles de joie. Une grosse abeille bourdonnait derrière elles.

– Fougère ! applaudit Garance. Tu es vivante ! Quel bonheur de te revoir !

L'air vibrait et pétillait de mille fleurs écarlates, feuilles émeraude, papillons dorés et bulles orangées.

— Tu nous as tant manqué! déclara Ambre.

À côté d'elle, l'abeille lui donna un léger coup d'antenne sur une joue.

— Oh, excuse-moi, Renata, reprit Ambre. Je te présente ma sœur, Fougère.

— Bonjour! bourdonna Renata.

— Comment as-tu réussi à venir aussi vite? demanda Clémentine. Nous t'avons envoyé les lucioles il y a très peu de temps.

— Nos petits amis des bois nous ont bien aidées, expliqua Fougère. Au revoir, le merle, et merci!

L'oiseau battit des ailes joyeusement, puis s'envola.

— Et sans Nestor, l'écureuil, continua Fougère, je ne sais pas ce qu'on serait devenues! Quel dommage d'avoir dû l'abandonner! ajouta-t-elle, attristée.

— Mais qui je vois là? fit Garance en riant.

Elle désignait un arbre de l'autre côté de la clairière.

Rachel et Betty suivirent son regard. Nestor les observait, caché derrière un tronc d'arbre ; il semblait très intimidé.

– Nestor ! Qu'est-ce que tu fais là ? s'exclama Fougère.

Et elle vola vers lui pour l'enlacer.

– Je me faisais du souci pour vous. Je voulais être sûr que vous étiez bien arrivées jusqu'à la marmite.

– Tu ne veux pas rester avec nous ? proposa Ambre. Tu pourrais vivre dans le saule, non ?

– Oh oui ! accepta l'écureuil.

S'il avait pu, il aurait encore roussi de plaisir.

Garance se tourna vers Rachel et Betty.

– Merci à vous deux, dit-elle. Je ne sais pas ce que nous ferions sans vous !

Fougère vint se percher sur l'épaule de Rachel. Elle lui effleura légèrement la joue du bout d'une aile. Une caresse de papillon.

– On va se revoir bientôt, n'est-ce pas ?

– Mais oui, bien sûr, promit Rachel.

– Il reste trois fées de l'Arc-en-Ciel à délivrer, ajouta Betty.

Elle prit Rachel par la main; les filles adressèrent de grands signes d'adieu aux fées, à l'abeille, au crapaud et à l'écureuil, avant de quitter la clairière.

– On ferait bien d'aller retrouver tes parents, Rachel. Ils doivent se demander où on est passées.

– Bonne idée! répondit Rachel. On a intérêt à se dépêcher! Pourvu qu'il reste quelque chose à manger!

Les deux amies s'éloignèrent dans un grand éclat de rire.

L'ARC-EN-CIEL magique

Garance, Ambre,
Clémentine et Fougère
se sont retrouvées.
À présent, Betty et Rachel
doivent partir
à la recherche de
Marine, la fée bleue

Des livres plein les poches, POCKET jeunesse des histoires plein la tête

Table des matières

L'ARC-EN-CIEL magique

Rachel et Betty
réussiront-elles à libérer
Marine ?

Pour le savoir,
lisez

 Marine,
la fée bleue

Des livres plein les poches, **POCKET** *jeunesse* des histoires plein la tête

– L'eau est vraiment bonne ! s'exclama Rachel Walker.

Assise sur un rocher, elle agitait ses orteils dans une flaque profonde. Son amie Betty Tate, elle, ramassait des coquillages.

– Betty ! Fais attention de ne pas glisser, cria sa mère.

✿ ٭✿ ✿ ٭✿ ٭✿

☆ ☆ ☆ ☆ ☆ ☆ ☆

Celle-ci était installée un peu plus loin sur la plage, en compagnie de Mme Walker.

– D'accord, maman! répondit la fillette.

Venues passer une semaine de vacances sur l'île de Magipluie, les deux familles s'étaient rencontrées sur le bateau. Depuis, elles ne se quittaient plus.

En baissant les yeux vers ses pieds nus, elle vit flotter un paquet d'algues vertes. Et dessous, un éclat bleu miroitait de temps à autre.

– Rachel! Viens voir! s'écria-t-elle.

– Qu'est-ce qu'il y a? demanda son amie.

– J'ai aperçu quelque chose. Je me demande si ce ne serait pas...

– ... Marine, la fée bleue? coupa Rachel, impatiente.

Par un affreux sortilège, pour se venger de ne pas avoir été invité au grand bal de l'Été, le bonhomme Hiver avait banni de leur pays les sept fées de l'Arc-en-Ciel. À présent, celles-ci étaient dispersées aux quatre coins de l'île de Magipluie. Or, tant qu'elles ne seraient pas toutes rassemblées, le pays des Fées resterait plongé dans le froid et la grisaille. Rachel et Betty avaient promis au roi Obéron et à la reine Titania de retrouver les sept fées, l'une après l'autre, et de les ramener chez elles pour briser définitivement le sortilège.

Les algues ondulaient toujours dans la flaque. Rachel sentit son cœur s'emballer.

– La fée est peut-être coincée dessous, chuchota-t-elle. Comme Fougère, quand elle s'est empêtrée dans le lierre de la tour… tu te rappelles ?

Fougère était la fée verte de l'Arc-
en-Ciel. Grâce à Rachel et à Betty,
quatre des sept sœurs étaient désor-
mais à l'abri, dans la marmite du
Bout de l'Arc-en-Ciel, près du saule,
dans la clairière : Garance, Clémentine, Ambre et Fougère. Mais trois
fées manquaient encore à l'appel.

Un petit crabe bleu vif jaillit soudain
entre les algues. Sa carapace scintillait
de minuscules arcs-en-ciel. Il ne res-
semblait à aucun autre crabe de la
plage.

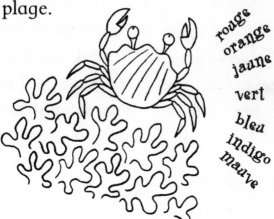

rouge
orange
jaune
vert
bleu
indigo
mauve

✩✰✩✰✩✰✩

Betty et Rachel échangèrent un regard plein d'espoir. Ce ne pouvait être qu'une nouvelle manifestation de magie « spéciale Magipluie » !

Soudain les fillettes entendirent une petite voix éraillée.

– À l'aide ! Il y a une fée en détresse, là-bas !

– Tu as entendu ? souffla Rachel.

Immobile, le crabe semblait les dévisager de ses yeux ronds – deux points noirs, guère plus gros que des têtes d'épingles. Il se dressa soudain sur ses pattes arrière.

✩✰✩✰✩✰✩

– Qu'est-ce qu'il fait ? demanda Betty, surprise.

L'animal pointa une pince en direction de certains rochers, plus loin, sous la falaise. Il fit ensuite quelques pas de côté (à la manière d'un crabe ordinaire), puis revint vers les deux amies.

– Par là, articula-t-il de sa voix qui faisait penser à deux galets frottés l'un contre l'autre.

– Je crois qu'il veut qu'on le suive, comprit Rachel.

[...]

À suivre...

L'ARC-EN-CIEL magique

Demande vite ton carnet magique des 7 Fées de L'Arc-en-Ciel !

Pour recevoir ce magnifique cadeau des Fées de L'Arc-en-Ciel, achète vite les 7 romans de la collection *L'Arc-en-Ciel magique* !

L'ARC-EN-CIEL magique

Pour recevoir ton carnet magique:

Renvoie ce bulletin correctement complété avec les tickets de caisse
justifiant l'achat des 7 romans* de la collection
L'Arc-en-Ciel magique, à l'adresse suivante :

Editions Pocket Jeunesse, L'Arc-en-Ciel magique, service marketing,
12, avenue d'Italie 75013 PARIS

Merci d'écrire très lisiblement

NOM : _____

PRÉNOM : _____

ADRESSE : _____

_____

CODE POSTAL : _____

VILLE : _____

ÂGE : _____